Ma première encyclopédie

Notre planète

Susan Baker — Jeannie Henno

Éditions Gamma — Éditions du Trécarré

Illustrations
David Mostyn/Linda Rogers Associates,
pages 6-7, 8-9, 14-15, 16-17, 20
Tony Payne, pages 10-11, 12-13, 18, 22-23

Photographies
Barnaby's Picture Library, 23
Biofotos/Heather Angel, 19
/Brian Rogers, 26 gauche
BPCC-Aldus Archive/Les Requins Associés
(Neuilly), 28 droite
Camera Press, 24 droite
Daily Telegraph Colour Library, 28 gauche
Institute of Geological Sciences, 22 haut,
22 bas
Photri, 17
Popperfoto, 26-27
ZEFA, couverture, 6-7, 18-19, 21, 24 gauche,
25, 27, 29

Comment utiliser ces livres

Cette encyclopédie compte dix volumes
destinés à te faire mieux connaître le
monde dans lequel tu vis.

Regarde d'abord le sommaire, à la page
ci-contre. Lis l'énumération des chapitres
qui figure à côté des petites images.
Cette liste t'indique de quoi parlera
chaque page. Elle te permet de trouver
directement l'information que tu
cherches.

Si tu veux t'informer sur le Soleil,
cherche ce mot dans l'index, à la page 30.
Tu y verras que tu trouveras des
renseignements sur le Soleil aux pages 6,
10, 12, 13, 14 et 25. Lis aussi les titres
des autres volumes qui sont repris au dos
de la couverture.

Au cours de ta lecture, tu rencontreras
certains mots écrits comme ceci : **volcans,**
par exemple, avec l'indication ⇒ 22
dans la marge. Ceci signifie : pour en
savoir davantage sur les volcans, vois à
la page 22.

Le volume 10 t'aidera à mieux utiliser les
autres volumes. Il comprend des cartes,
des suggestions d'activités et un index
de tous les volumes.

Sommaire

De quoi parle ce livre ?

Ce livre parle de notre planète, la Terre, cette énorme boule rocheuse qui tourne autour du **Soleil** et sur laquelle nous vivons. ⇒ 10, 12

D'où vient notre planète ? Personne ne le sait exactement, mais des savants continuent à chercher comment le Soleil et les planètes ont pu se former. Les satellites artificiels qui tournent autour de la Terre nous l'ont fait mieux connaître ; et grâce aux vaisseaux spatiaux qui explorent l'espace, nous apprenons toujours davantage sur les autres planètes.

La Terre n'a cessé de se modifier depuis sa naissance, il y a des millions d'années. De nos jours, elle se transforme encore, sous l'effet de bouleversements internes et sous l'action du **temps.** Les hommes transforment ⇒ 19, 22, 24 aussi la Terre, en bien et en mal.

Le Soleil et tout ce qui tourne autour de lui — la famille des planètes et les satellites — constituent le système solaire. Notre Soleil n'est qu'une des milliards d'étoiles de notre *galaxie.* ⇒ 12

La Terre vue de l'espace

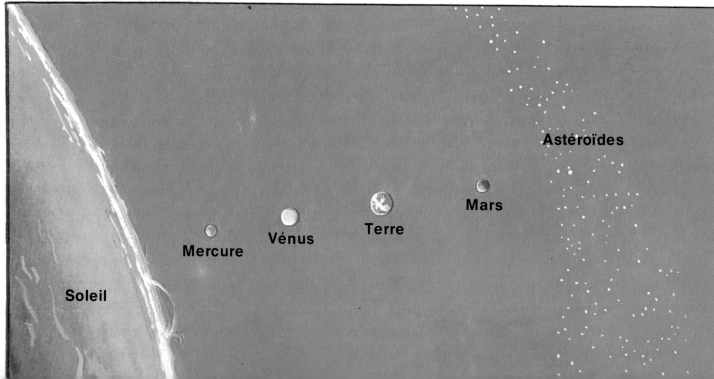

Soleil

Mercure

Vénus

Terre

Mars

Astéroïdes

Les hommes continuent d'explorer le
sous-sol. Ils étudient les roches et cherchent
des minerais. L'exploration des grottes
— la spéléologie — est un sport dangereux.

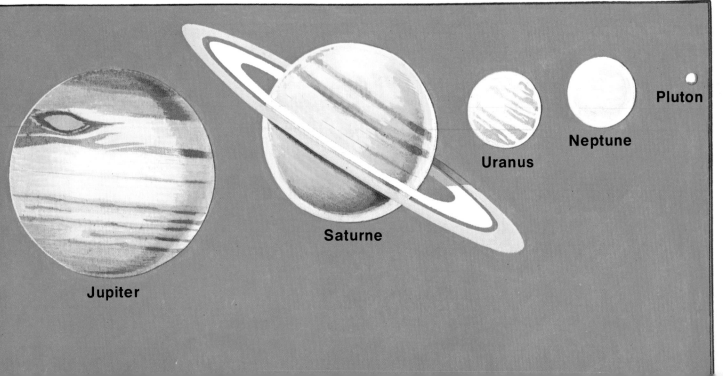

Jupiter

Saturne

Uranus

Neptune

Pluton

La Terre est une toupie

Il y a des milliers d'années, les hommes pensaient que le **Soleil** se déplaçait dans le ciel, tandis que ⇒ 6, 12 la Terre restait immobile. Nous savons maintenant que c'est le contraire. Tout en tournant autour du Soleil, la Terre tourne aussi sur elle-même, comme une toupie. L'aiguille imaginaire qui la transperce en passant par son centre, et autour de laquelle elle tourne, est appelée l'axe. Les extrémités de l'axe sont le pôle Nord et le pôle Sud.

La Terre tourne complètement sur elle-même en vingt-quatre heures. Sur la moitié éclairée par le Soleil, il fait jour; de l'autre côté du globe, c'est alors la nuit. Très loin, dans l'espace, nous voyons scintiller des milliards d'autres soleils: les **étoiles.** ⇒ 6, 12

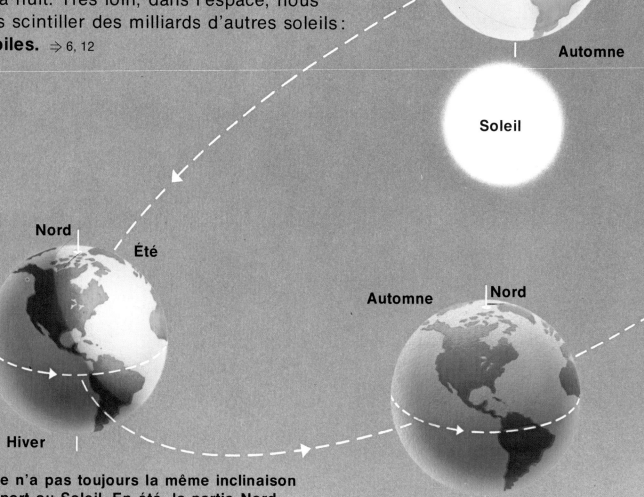

La Terre n'a pas toujours la même inclinaison par rapport au Soleil. En été, la partie Nord de la Terre — notre hémisphère — est inclinée vers le Soleil; il fait chaud et les jours sont longs. C'est alors l'hiver dans l'hémisphère Sud.

Tout en tournant sur elle-même,
la Terre tourne autour du Soleil.
Il lui faut un an pour en effectuer
le tour complet.

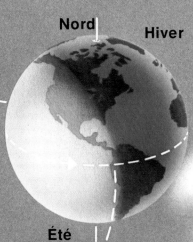

Nord   Hiver

Été

D'après une légende grecque,
le Soleil traversait chaque jour le ciel
dans un char tiré par quatre chevaux.

En France, il fait généralement
froid à la Noël et il peut y avoir
alors de la neige.

En Australie, la plupart des gens
prennent le repas de Noël à
l'extérieur, sous un soleil d'été.

Qu'est-ce qu'une planète ?

Terre

Soleil

Le système solaire

Quand tu regardes le **Soleil** dans la soirée, ne ⇒ 6, 10
ressemble-t-il pas, parfois, à une grosse boule
de feu ? Toutes les **étoiles** sont constituées ⇒ 6, 10
principalement de **gaz** très chauds qui répandent ⇒ 14
une vive lumière. Notre Soleil n'est qu'une des
milliards d'étoiles, groupées en un immense disque
aplati et tournant lentement comme une spirale :
c'est notre **galaxie.** Il y a des milliards d'autres ⇒ 6
galaxies dans l'Univers.

Des explosions se produisent sans cesse à
l'intérieur du Soleil. De grandes quantités de chaleur
et de lumière sont projetées dans l'espace. Durant
le jour, nous sentons cette chaleur et voyons cette
lumière. Une couche de gaz, appelée **atmosphère,** ⇒ 9, 15
protège la Terre de la plupart des rayons dangereux
du Soleil.

**Les neuf planètes du
système solaire tournent
autour du Soleil. La Lune
est un satellite de la Terre,
c'est-à-dire qu'elle tourne
autour de celle-ci. Certaines
planètes ont plusieurs
satellites.**

**Jupiter et ses
satellites**

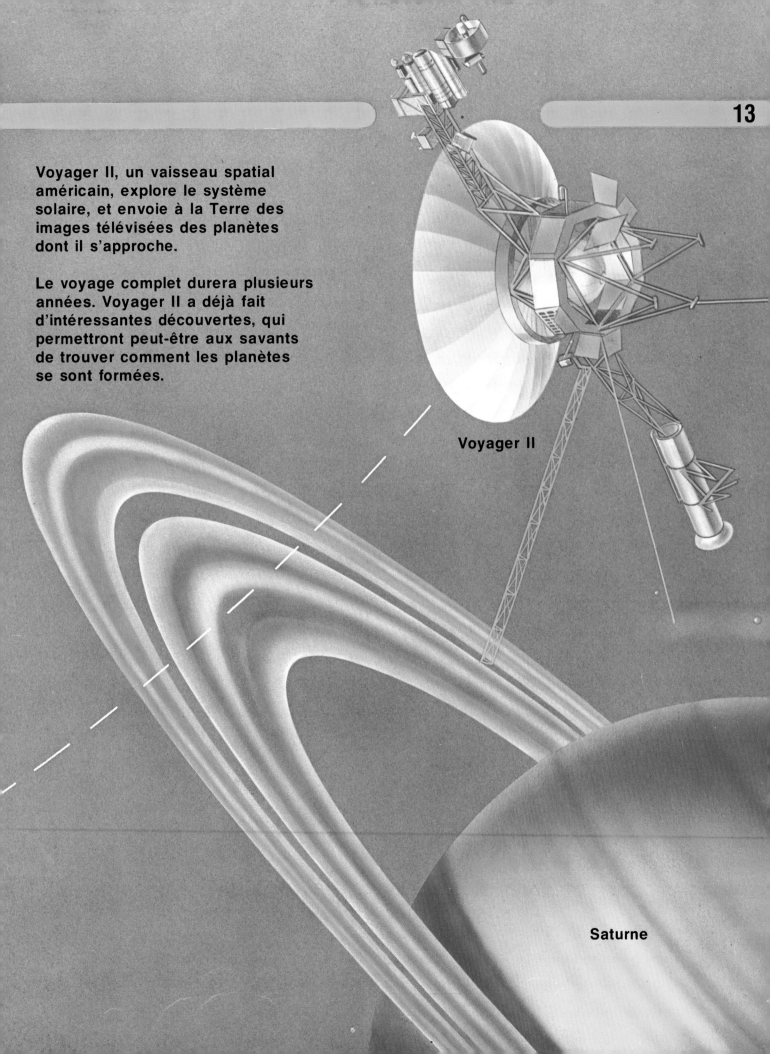

Voyager II, un vaisseau spatial américain, explore le système solaire, et envoie à la Terre des images télévisées des planètes dont il s'approche.

Le voyage complet durera plusieurs années. Voyager II a déjà fait d'intéressantes découvertes, qui permettront peut-être aux savants de trouver comment les planètes se sont formées.

Voyager II

Saturne

La naissance de la Terre

Nul ne sait avec certitude quand et comment les planètes se sont formées. On croit que le Soleil se forma à partir d'un gros nuage de **gaz** et de ⇒ 12 poussière, qui se comprima sous la forme d'une sphère, tout en devenant brûlant.

Ses planètes sont au nombre de neuf. La Terre, comme les autres planètes, n'était sans doute, à l'origine, qu'une vaste masse tourbillonnante de poussière et de gaz. Peu à peu, cette masse a formé une boule de **roches** en fusion. Plus tard, la surface ⇒ 9, 16, 22 de la Terre s'est refroidie et les roches s'y sont solidifiées. L'**écorce** terrestre était ainsi constituée. ⇒ 9, 16, 21 Cette évolution a duré des millions d'années.

Le nuage tournant de gaz et de poussière a attiré à lui les nombreuses particules rencontrées sur sa route ; il a ainsi grossi comme une boule de neige.

Le nuage grossissant, les fragments furent pressés de plus
en plus fortement les uns contre les autres, et ils formèrent
une boule qui finit par fondre. Plus tard, une fine croûte s'y forma.

Des météorites, énormes morceaux de roche tombés de
l'espace, percèrent l'écorce et fondirent au centre de la Terre.
Les gaz et la vapeur éjectés lors de la chute des météorites
sur la Terre ont peu à peu formé l'*atmosphère.* ⇒ 9, 12

La vapeur tomba en pluie sur la Terre refroidie, donnant naissance aux océans.

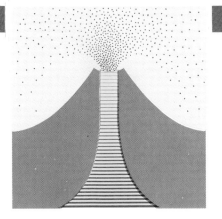

Des roches en fusion

Seule la fine **écorce** terrestre est dure et froide. Au ⇒ 9, 14 centre de notre planète, on trouve un noyau liquide de matière en fusion, entouré par un manteau de **roches** partiellement fondues. ⇒ 14, 22

L'écorce terrestre est formée de **plaques** énormes ⇒ 18 qui s'adaptent l'une à l'autre comme les pièces d'un puzzle géant. Ces plaques « flottent » sur la partie supérieure du manteau. La chaleur intense et la forte pression qui règnent dans le noyau font couler le manteau en lents courants, un peu comme du caramel mou qu'on chauffe dans un poêlon.

Le mouvement du manteau sous les plaques les entraîne et les fait dériver très lentement.

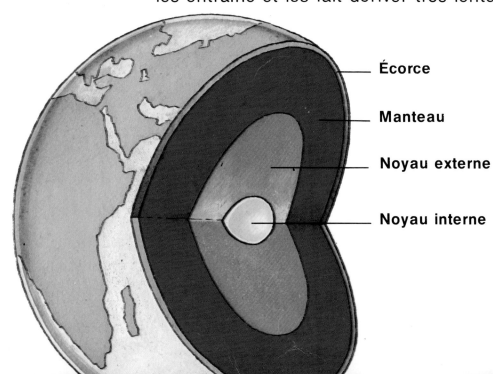

Écorce

Manteau

Noyau externe

Noyau interne

Voici de quoi est fait l'intérieur de la Terre. Nous vivons sur l'écorce terrestre. Au-dessous se trouve le manteau, qui a près de 3 000 km d'épaisseur. Le centre de la Terrre est appelé le noyau.

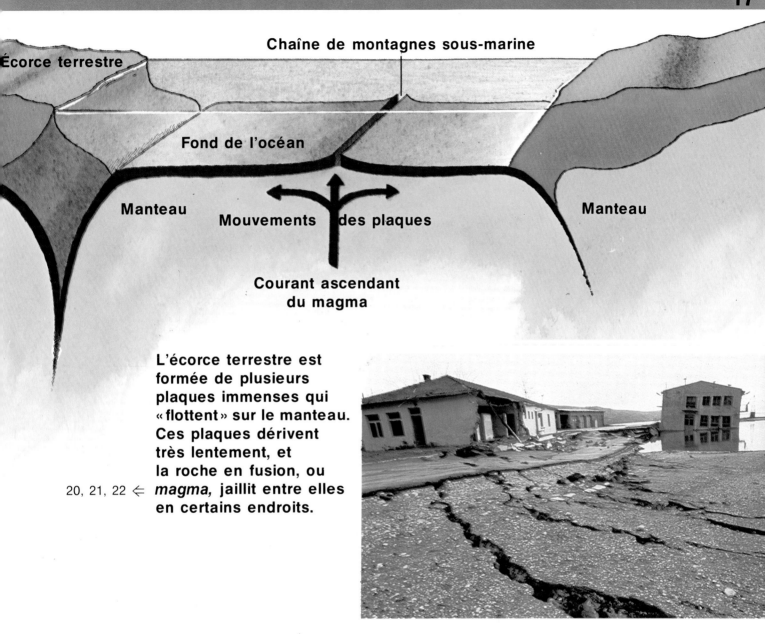

Écorce terrestre

Chaîne de montagnes sous-marine

Fond de l'océan

Manteau

Mouvements des plaques

Manteau

**Courant ascendant
du magma**

L'écorce terrestre est
formée de plusieurs
plaques immenses qui
« flottent » sur le manteau.
Ces plaques dérivent
très lentement, et
la roche en fusion, ou
20, 21, 22 ⇐ *magma,* jaillit entre elles
en certains endroits.

Les plaques se déplacent sans cesse, ne fût-ce
que d'un centimètre par an. Lorsque deux plaques
se heurtent, l'une se glisse souvent sous le bord
de l'autre ; elle y soulève le continent voisin, dont
la surface se plisse et forme des **montagnes.** ⇒ 18, 20

Les roches de l'écorce terrestre sont compressées
ou, au contraire, étirées, suivant les mouvements
des plaques. En certains endroits, les couches
de roches se plissent, s'élèvent lentement pour
former des plateaux, ou se dressent en montagnes.
Ces changements durent des millions d'années.

Quand les plaques bougent,
il arrive que les roches
de la surface se fissurent
brusquement : la terre tremble
et les immeubles s'écroulent.
C'est ce qu'on appelle
un tremblement de terre.

La formation des montagnes

Les plus jeunes **montagnes** de la Terre ont ⇒ 17, 20 commencé à se former il y a des millions d'années, et elles grandissent encore. Cela fut provoqué par la collision de certaines **plaques** contre d'autres. ⇒ 16

Quand une plaque s'enfonce sous une autre, les **roches** de la surface subissent une énorme pression ⇒ 9, 17, 22 et sont soulevées, formant ainsi des chaînes de montagnes. D'énormes couches de roche sont alors tassées et plissées, un peu comme si quelqu'un repoussait une nappe sur la table.

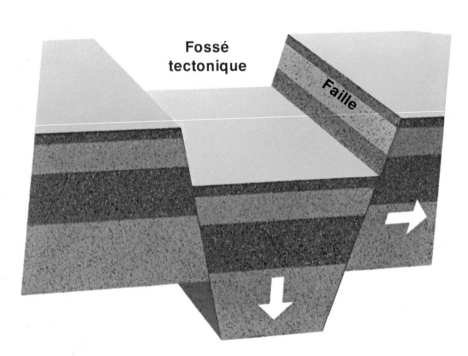

Fossé tectonique

Faille

Sous l'effet de la tension dans l'écorce, des crevasses peuvent s'ouvrir dans le sol. La ligne de cassure est appelée une faille. Un bloc gigantesque peut alors être déplacé vers le haut, vers le bas, ou de côté.

L'Himalaya est une chaîne
de montagnes jeunes qui
grandit encore lentement.
Mais le soleil, le vent,
la glace et la neige
accomplissent leur lent
travail d'*érosion*. Les ⇒ 22, 24
morceaux de roche ainsi
arrachés finissent par se
déposer dans les rivières
boueuses. Ils formeront
une nouvelle roche,
appelée *sédimentaire*. ⇒ 23, 24

Ce plissement de roches, à Lulworth Cove, en Angleterre,
montre les couches superposées d'argile et de calcaire.

Les volcans

Il faut des millions d'années avant que le plissement des roches forme des **montagnes.** ⇒ 17, 18
Mais il y a certaines montagnes qui peuvent grandir de plusieurs mètres en quelques jours : ce sont les **volcans.** ⇒ 22

Il y a très longtemps, quand la Terre était toute jeune, des milliers de volcans crachaient sans doute du feu, de la fumée et des **roches** en ⇒ 14, 16 fusion. Il ne reste maintenant qu'environ 500 volcans actifs. Les autres sont en sommeil ou définitivement éteints.

De nombreux volcans ont la forme d'un cône à pentes raides. Les projections et les laves s'échappent par le cratère, au sommet de la cheminée.

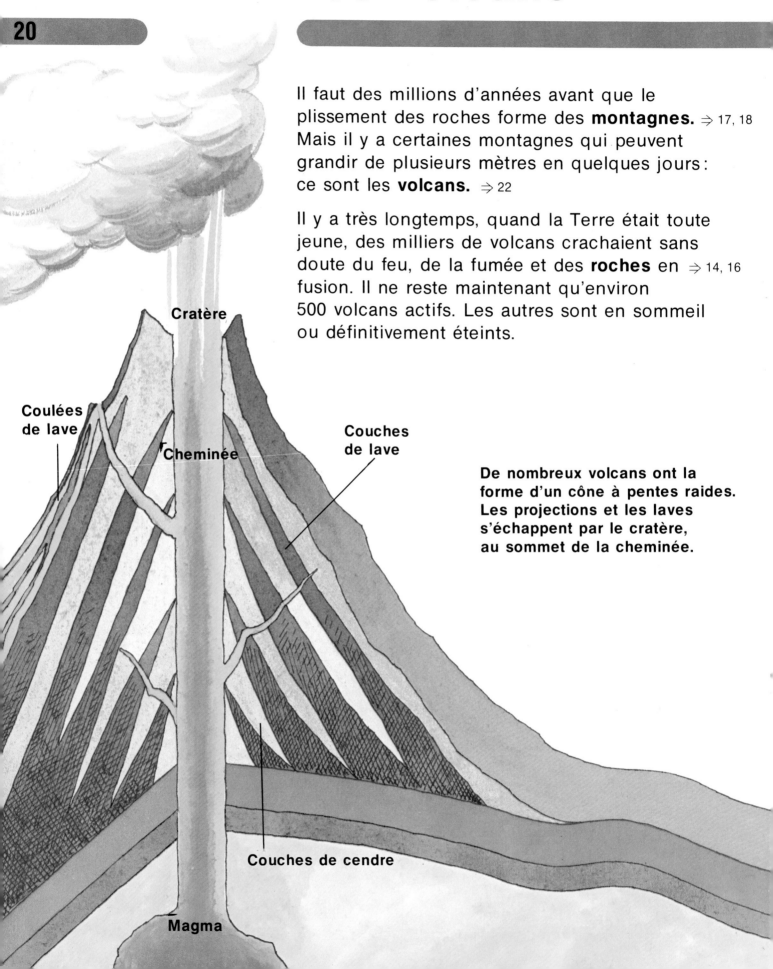

Cratère

Coulées de lave

Cheminée

Couches de lave

Couches de cendre

Magma

Les nombreux volcans en activité dans l'océan Pacifique forment ce qu'on appelle la « ceinture de feu » du Pacifique. Dans toute cette région, on peut souvent observer des jets incandescents et des coulées de lave, comme ici, à Hawaii.

Lors de l'éruption d'un volcan, de la lave se refroidit et s'amoncelle autour du cratère. Une colline peut ainsi se former en quelques semaines. Quand le **magma** bouillonnant augmente sa ⇒ 17, 20, 22 pression sous l'**écorce,** il a tendance à y chercher ⇒ 9, 16 à nouveau le même point faible, et le même volcan peut entrer une nouvelle fois en éruption.

L'éruption suivante est souvent plus violente et plus dangereuse. Si le magma est pris longtemps au piège, la pression augmente de plus en plus sous le bouchon de magma solidifié qui bloque le cratère. Quand le bouchon saute enfin, des averses de cendre brûlante, de **gaz** et de lave ⇒ 12, 14, 15 chauffée à blanc s'abattent sur les alentours, et y causent parfois de terribles destructions.

Trois familles de roches

Les cailloux de la rivière sont souvent très différents, mais, comme toutes les **roches,** ⇒ 9, 14, 16 ils ne peuvent s'être formés que de trois façons.

Le granit, lisse et tacheté, dont tu peux trouver des blocs dans la rivière, est une des diverses sortes de roche ignée ou éruptive. Celle-ci s'est formée sous terre par le refroidissement du **magma,** ou a été ejectée par les **volcans.** ⇒ 17, 21, 20

Le vent et les intempéries rongent et morcellent peu à peu les couches de roches de l'écorce terrestre. Cette **érosion** dure depuis des millions ⇒ 19, 24 d'années. De petits morceaux de roche sont détachés et emportés par l'eau ou le vent.

Les aiguilles des cristaux du quartz igné se dressent dans un lit de cuivre.

Une mince tranche de la roche métamorphique appelée gneiss montre les couches plissées.

Cette fillette fait collection de cailloux de formes et de tailles différentes.

La plus grande partie de ces parcelles de roche se
dépose au fond de la **mer** ou des lacs, en couches ⇒ 8, 24
sablonneuses appelées sédiments. Les couches
de sédiments deviennent de plus en plus épaisses.
Elles finissent par former une **roche sédimentaire,** ⇒ 19, 24
comme le grès.

Quand le magma en fusion exerce une pression
sous l'**écorce** terrestre, les roches voisines sont ⇒ 9, 16, 21
chauffées et comprimées violemment. Elles peuvent
alors former une troisième sorte de roche, modifiée,
et appelée pour cela roche métamorphique. Le calcaire
friable devient ainsi du marbre dur ; le schiste mou
et argileux se transforme en ardoise feuilletée.

Voici un fossile. C'est
l'empreinte d'un coquillage
conservée dans une roche.

**Les géologues recherchent les roches et
les minéraux qui peuvent nous être utiles.
Ils s'efforcent de reconstituer l'histoire
de la Terre. Parfois, des fossiles les aident
à évaluer l'âge de la roche qui les contient.**

L'érosion du sol

Les conditions atmosphériques ont une influence énorme sur l'**écorce** terrestre. Le vent emporte au ⇒ 6, 9, 19, 22 loin la **terre** fertile. Après des pluies violentes, l'**eau** ⇒ 9, 26, 8 qui s'engouffre dans les égouts entraîne de la boue, des feuilles, de petits cailloux. L'eau de la rivière transporte des sédiments vaseux qui finiront par se déposer dans la **mer.** Un jour, ils se transformeront ⇒ 8 en **roche sédimentaire.** ⇒ 19, 23

Les vagues soulevées par le vent de tempête ont projeté de l'eau sablonneuse et des galets contre la falaise et l'ont creusée en son point le plus faible.

Voici un glacier. C'est un grand fleuve de glace qui coule très lentement, en descendant des montagnes.

Des tourbillons de sable soulevés par le vent ont sculpté d'une étrange façon ce rocher du désert de Californie.

Dès qu'une **roche** apparaît à la surface, elle est ⇒ 18, 20, 22
attaquée par la pluie, le vent, la glace, le soleil.
Ce travail de modelage s'appelle l'**érosion.** ⇒ 19, 22
Au pied de chaque falaise, tu peux observer
un tas de morceaux de roches, qui ont été
arrachés par la mer ou les intempéries.

Le vent est un sculpteur surprenant, spécialement
dans les déserts. Il ride le **sable** et l'amoncelle en ⇒ 9, 26
collines appelées dunes. Il le projette aussi avec
une force étonnante contre les rochers. Le sable
perce la roche ou la découpe d'étrange façon.

L'homme détruit la nature

Dans une pelouse, il arrive que l'herbe manque
par places. Dans ce cas, il est probable que
trop de personnes ont marché sur la pelouse
aux mêmes endroits, et ont écrasé l'herbe sans
lui permettre de repousser.

Si les cultivateurs abîment leurs champs en y
faisant pousser des plantes qui ne conviennent
pas à la nature du **sol,** ou bien en employant ⇒ 9
trop d'engrais chimiques, la bonne **terre** fertile ⇒ 9, 24
se transforme en poussière que le vent emporte.
Il ne reste plus, alors, qu'un sol de **sable** sec ⇒ 9, 25
et de cailloux, impropre à la culture.

**Un pétrolier a vidangé
ses soutes au large
des côtes de France.
Cet oiseau a péri, englué
par le mazout répandu
en mer.**

**Cette forêt d'Amérique
du Sud est abattue pour
permettre la culture.
Les abattages excessifs
mettent en péril la vie
sauvage et nuisent au
sol. Sans arbres, le sol
se dessèche et finit
par ne plus être fertile.**

**Voici une carrière de marbre. Pour trouver
la pierre et les minerais, il faut creuser le sol.
Le paysage en garde de vilaines cicatrices.**

Une petite partie seulement de l'**écorce** terrestre ⇒ 9, 23
est constituée de terre cultivable, alors qu'il y a
des milliards d'hommes à nourrir. Les hommes ont
aussi besoin de maisons, de routes, d'usines. Les
matériaux de construction et les minerais traités
dans les usines proviennent du sous-sol. Pour
extraire le gravier, la pierre, le métal, le charbon,
le pétrole, il faut creuser des carrières, des mines
ou des puits. Tout ceci occupe ou épuise la Terre.

Les **minéraux** et minerais ont mis des millions ⇒ 9, 23
d'années à se former dans l'écorce terrestre, et
certains pourraient manquer bientôt. Lorsque les
réserves de charbon et de pétrole seront épuisées,
nous devrons chercher d'autres sources d'**énergie.** ⇒ 9

Vers un monde meilleur?

L'homme a abîmé certaines régions de la planète. Toutefois, observe bien un terrain vague ou un bâtiment en ruine, et tu verras que la nature est occupée à le reconquérir.

Si on cesse de polluer les rivières, leur eau redevient assez rapidement pure. Sans les fumées d'usines, sans les gaz d'échappement des voitures, l'air retrouve également sa pureté.

De plus en plus, les hommes essaient de moins malmener la Terre. Ils réfléchissent davantage aux conséquences de leurs activités, et s'efforcent de donner à la nature la possibilité de réparer les dégâts qui lui ont été causés.

Il y a une centaine d'années, ce site était une voie navigable très fréquentée. Depuis lors, des plantes ont occupé l'endroit.

L'homme a appris à vivre partout et sous tous les climats, à la surface de la Terre. Il explore maintenant les profondeurs marines et exploite le fond de l'océan.

Des amoureux de la nature,
dans un parc national des États-Unis.

Index

Les chiffres en caractères **gras** t'indiquent où tu trouveras une illustration sur le sujet.